书法字谱集

欧阳询九成宫醴泉铭

陈行健 主编

中原出版传媒集团
大地传媒
河南美术出版社
·郑州·

图书在版编目（CIP）数据

欧阳询九成宫醴泉铭 / 陈行健主编. —郑州：河南美术出版社，2015.8（2019.7重印）
（书法字谱集）
ISBN 978-7-5401-3221-7

Ⅰ. ①欧… Ⅱ. ①陈… Ⅲ. ①楷书－书法 Ⅳ. ①J292.113.3

中国版本图书馆CIP数据核字（2015）第132800号

责任编辑：张浩　杜笑谈
责任校对：吴高民
策　　划：墨点字帖
封面设计：墨点字帖

书法字谱集
欧阳询九成宫醴泉铭　©陈行健　主编
出版发行：河南美术出版社
地　　址：郑州市经五路66号
邮　　编：450002
电　　话：0371-65727637
印　　刷：武汉市新华印刷有限责任公司
开　　本：889mm×1194mm　1/16
印　　张：3
版　　次：2015年8月第1版　2019年7月第5次印刷
定　　价：20.00元

本书所有例字由墨点字帖技术处理，未经许可，不得以任何方式抄袭、复制或节选。
法律顾问：中南财经政法大学知识产权研究中心研究员　陈水源

前 言

欧阳询（557—641），字信本，潭州临湘（今湖南长沙）人，历经陈、隋、唐三朝，官至太子率更令、弘文馆学士，封渤海县男。

欧阳询是初唐楷书的代表人物之一，其书法学二王（王羲之、王献之），风格劲险刻厉，于平正中见险绝，自成面目，世称“欧体”，对后世影响很大，与虞世南、褚遂良、薛稷并称为初唐四大书家。

《九成宫醴泉铭》是唐代魏徵撰文，欧阳询奉敕书写的碑文，文中记载了唐太宗李世民在九成宫避暑时发现涌泉之事。原碑高 270 厘米，厚 27 厘米，上宽 87 厘米，下宽 93 厘米，碑文共 24 行，每行 49 字，于贞观六年（623）立，现存于陕西省麟游县。

《九成宫醴泉铭》因椎拓过多，并经后人剜凿，字迹模糊，现尚存有宋拓本。此碑为欧阳询晚年经意之作，其用笔“法方笔圆”、“骨气劲峭”、“神明外朗”，其结体舒朗、平正，很适合当代大众的审美需求，是初学楷书者据以入门的最佳范本之一。

楷书笔法简述

学习楷书，首先要了解楷书的用笔方法，即笔法。一般而言，楷书所有点画的笔法，都是由三个部分组成：起笔、行笔与收笔。楷书的起笔都必须有一个“逆势”，即按照笔画前行的方向，取一个相反的方向落笔，如横画的笔顺是从左到右，在起笔时就先要有一个向左的行笔动作；竖画的笔顺是从上向下，在起笔时就先要有一个向上动作，做到“欲右先左，欲下先上”。这样的起笔不仅可以增强线条的力度感，还可以使笔下的线条富于变化而不显得呆板。需要说明的是，这种逆入动作短促迅疾。开始学习时往往“逆”得慢了而达不到预期效果，所以初学者要不断地练习“书空”动作，这是掌握用笔要领行之有效的办法。

起笔：起笔分为“藏锋”与“露锋”两种。所谓“藏锋”，是指笔尖与纸的第一个接触点藏在所写的点画内。“露锋”是指笔尖与纸的第一个接触点在所写的笔画边沿。起笔是“藏”是“露”，没有一定之规，只要用得恰当即可。

行笔：行笔一般都是用中锋。中锋是指在行笔的过程中，笔毫铺开后，笔锋沿笔画中线移动的一种行笔方法。楷书行笔以中锋为主，只有在写长撇画时用侧锋，其原因在于长撇画若用中锋，笔杆会遮挡住书写者的视线。因此，用侧锋时，将笔杆略向右倾斜即可。

收笔：收笔有两种，一种是回锋，顾名思义，即在收笔时要向与行笔方向相反的方向转向回锋一下；另一种是出锋，出锋是指在收笔时沿着笔锋运行的方向，逐渐提笔，缓缓轻收。

楷书的笔法，多提按的变化。提按者，用通俗的说法即轻重，何时提、何时按，要根据不同点画的需要，常见的是，在一个点画中有多处提按的变化。同时，行笔有快慢之分，也就是所谓“迟速”的说法，迟速要掌握分寸，都不能太过，我们主张初学者行笔慢一些为好，所谓“宁迟勿速”，迟则留得住笔，可保持线条的沉着。

书写是一种动作，除了看图示与文字说明外，亲眼目睹善书者书写，可起到事半功倍的作用。如果没有条件观察善书者书写，那就需要仔细观察点画的特征，悉心细加体会。否则，所谓“逆入”“藏锋”“换向”都是空话。

这里述说的是楷书的基本笔法，不同的书家书写的楷书作品，在遵守基本笔法的同时，行笔的过程中都会有自己的书写风格。下面就欧阳询楷书《九成宫碑》的点画以图示加文字说明的方法作简要介绍。

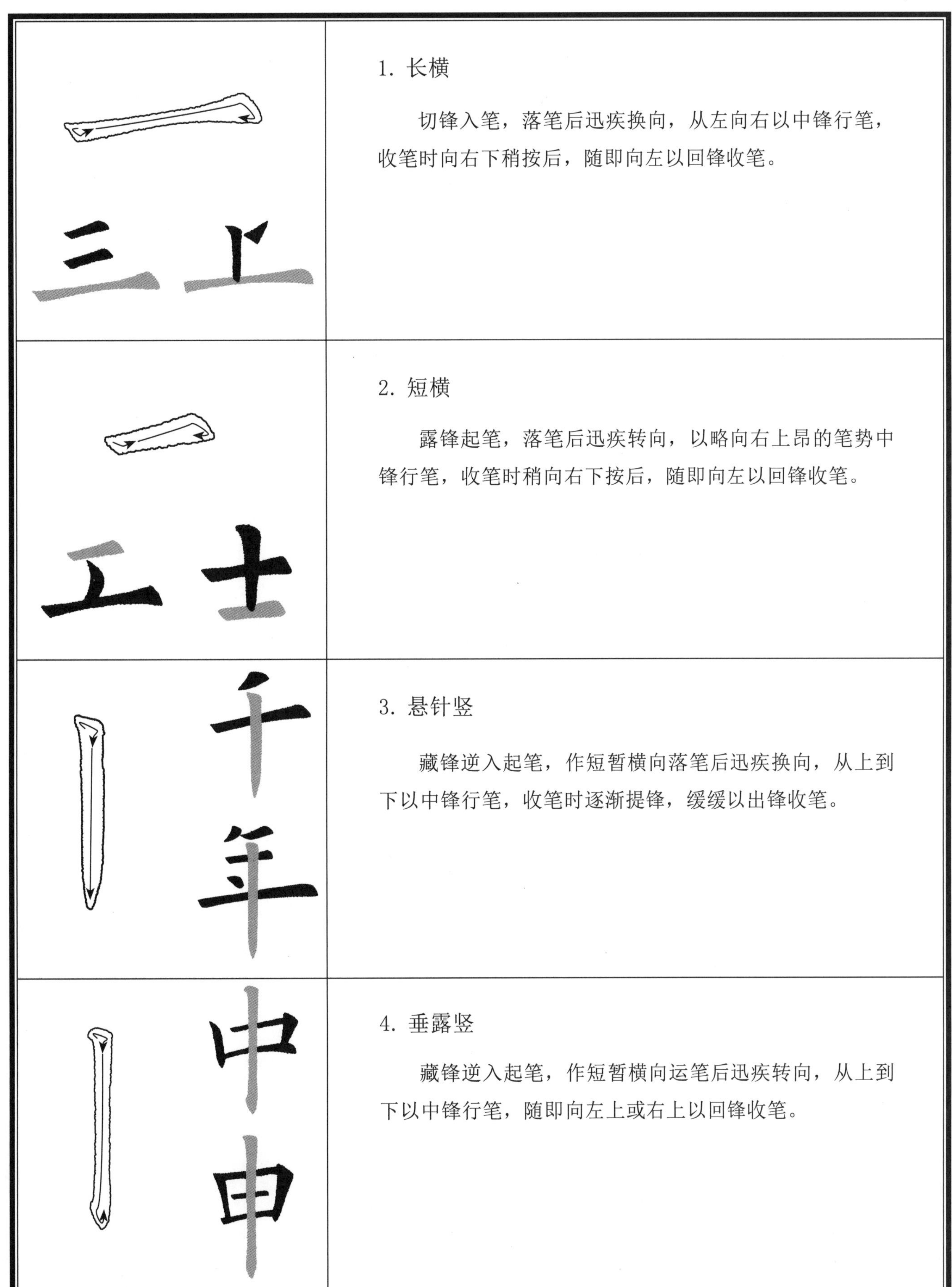

1. 长横

切锋入笔，落笔后迅疾换向，从左向右以中锋行笔，收笔时向右下稍按后，随即向左以回锋收笔。

2. 短横

露锋起笔，落笔后迅疾转向，以略向右上昂的笔势中锋行笔，收笔时稍向右下按后，随即向左以回锋收笔。

3. 悬针竖

藏锋逆入起笔，作短暂横向落笔后迅疾换向，从上到下以中锋行笔，收笔时逐渐提锋，缓缓以出锋收笔。

4. 垂露竖

藏锋逆入起笔，作短暂横向运笔后迅疾转向，从上到下以中锋行笔，随即向左上或右上以回锋收笔。

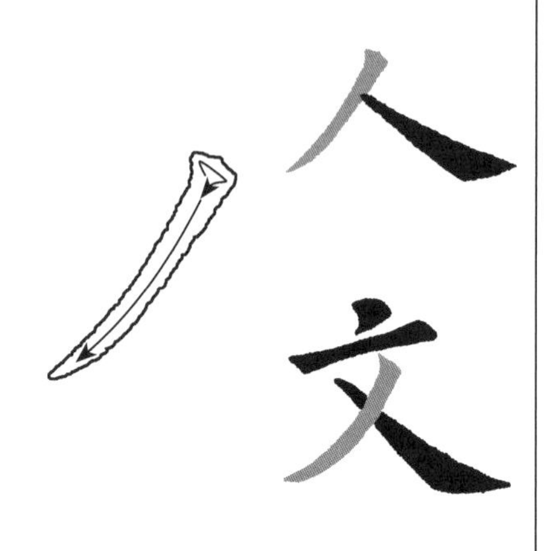

5. 斜撇

藏锋逆入起笔，转向后向左下取斜势以侧锋行笔，收笔时逐渐提锋，缓缓以出锋收笔。

6. 平撇

藏锋逆入起笔，随即向右下顿笔，提转笔锋向左下取斜势以中锋行笔，收笔时逐渐提锋，以出锋收笔。

7. 竖撇

露锋入笔，转向后从上向下先作竖向行笔，随后再向左下取弧线状行笔，收笔时提转笔锋，缓缓以出锋收笔。

8. 兰叶撇

露锋起笔，从右上向左下取斜势行笔，先由轻到重，再由重到轻，缓缓以出锋收笔。

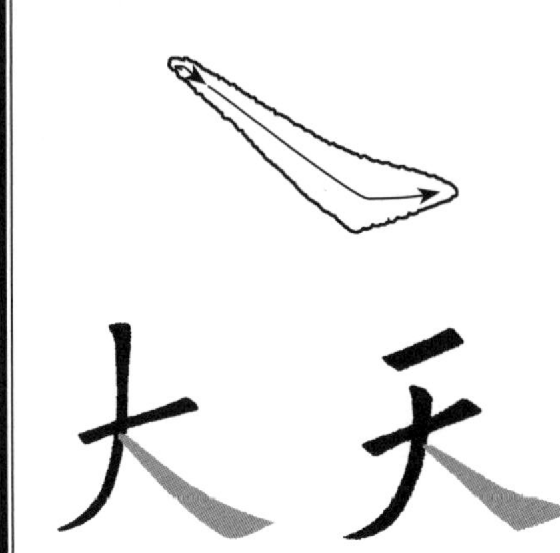

9. 长捺

藏锋逆入起笔，转向后从左上向右下取斜势以中锋行笔，渐行渐重，转向右前方，缓缓以出锋收笔。

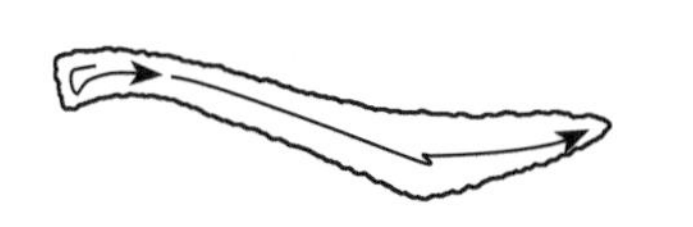

10. 平捺

藏锋逆入起笔，转向后作短暂横向行笔，随即转成由左上向右下取斜势以中锋行笔，渐行渐重，收笔时稍按后略向右上取斜势以出锋收笔。

①

②

11. 竖点、斜点

①藏锋逆入起笔，转向后向下以中锋行笔，收笔时提锋后以回锋收笔。

②藏锋逆入起笔，转向后从左上向右下取斜势以中锋行笔，收笔时先略向右下按，随即向上作回锋收笔。

12. 反捺

露锋起笔，向右略取斜势以中锋行笔，收笔时先向右下按，随即转向向左以回锋收笔。

13. 提

藏锋逆入起笔，由左下向右上取斜势以中锋行笔，收笔时逐渐提锋，以出锋收笔。

14. 横折

藏锋逆入起笔，向右作横画行笔，到转折处提锋向右下稍按，随即转向，由上向下作竖画行笔，收笔时提锋向上作回锋收笔。

15. 撇折

切锋入笔，转向后由右上向左下取斜势以中锋行笔，渐行渐提，到折处稍向下按，随即转向由左下向右上以出锋收笔。

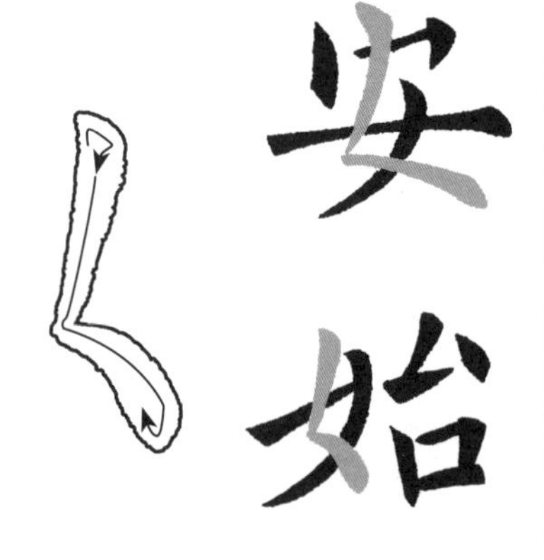

16. 撇点

藏锋逆入起笔，转向后由右上向左下取斜势以中锋行笔，到转折处略提再落笔，随即转向向右取斜势落笔，收笔时稍按再回锋收笔。

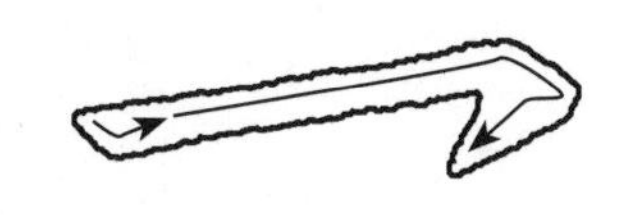

17. 横钩

露锋起笔，由左向右以中锋行笔，到钩处先向右上轻提，随即向右下稍按，然后提锋缓缓以出锋收笔。

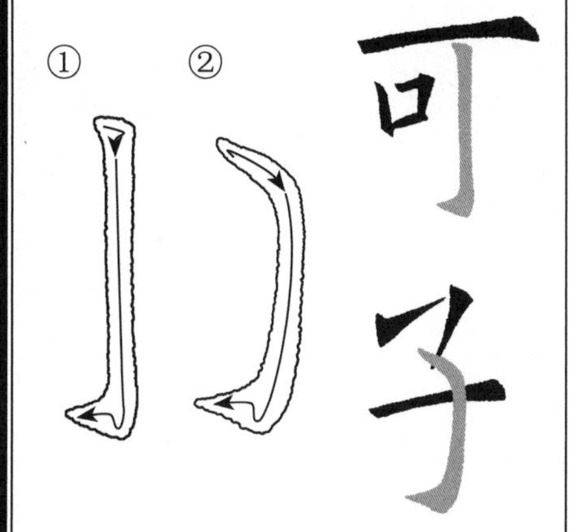

18. 竖钩、弯钩

①藏锋逆入起笔，转向后由上到下作竖画行笔，收笔时稍向左回，立即提锋向上，再转向向左缓缓以出锋收笔。

②弯钩与竖钩写法类似，竖稍带弧度。

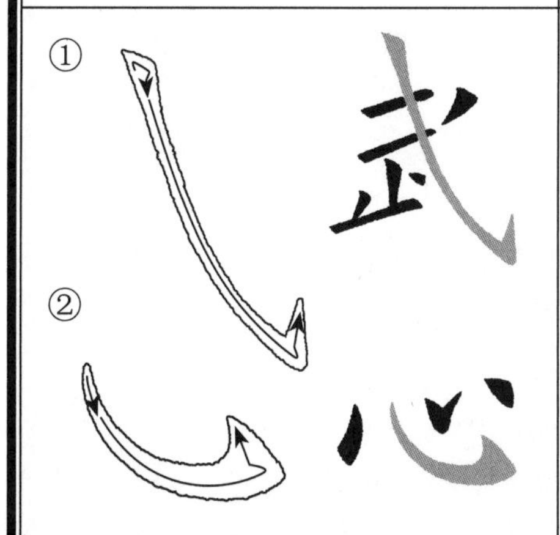

19. 斜钩、卧钩

①切锋入笔，转向后向右下作弧线状以中锋行笔，收笔时略向左回，轻提笔锋向右上以出锋收笔。

②露锋起笔，由左上向右下作弧线状以中锋行笔，渐行渐重，收笔时略向左回，然后向左上出锋收笔。

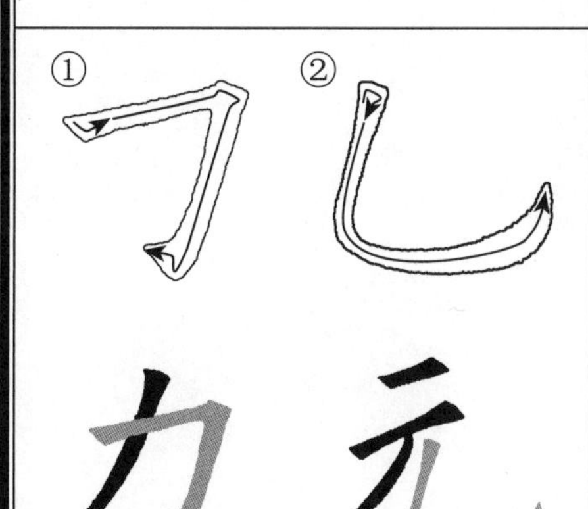

20. 横折钩、竖弯钩

①露锋起笔，先作横画行笔，转折处先提锋向右上，迅疾向右下稍按，随即转笔向下行笔，出钩时先略向上提，然后转向向左轻推，以出锋收笔。

②藏锋逆入起笔，由上向下作竖画行笔，转折处稍提笔锋转向，作横画行笔，收笔时略重，然后向右上以出锋收笔。

基本笔画：横、竖

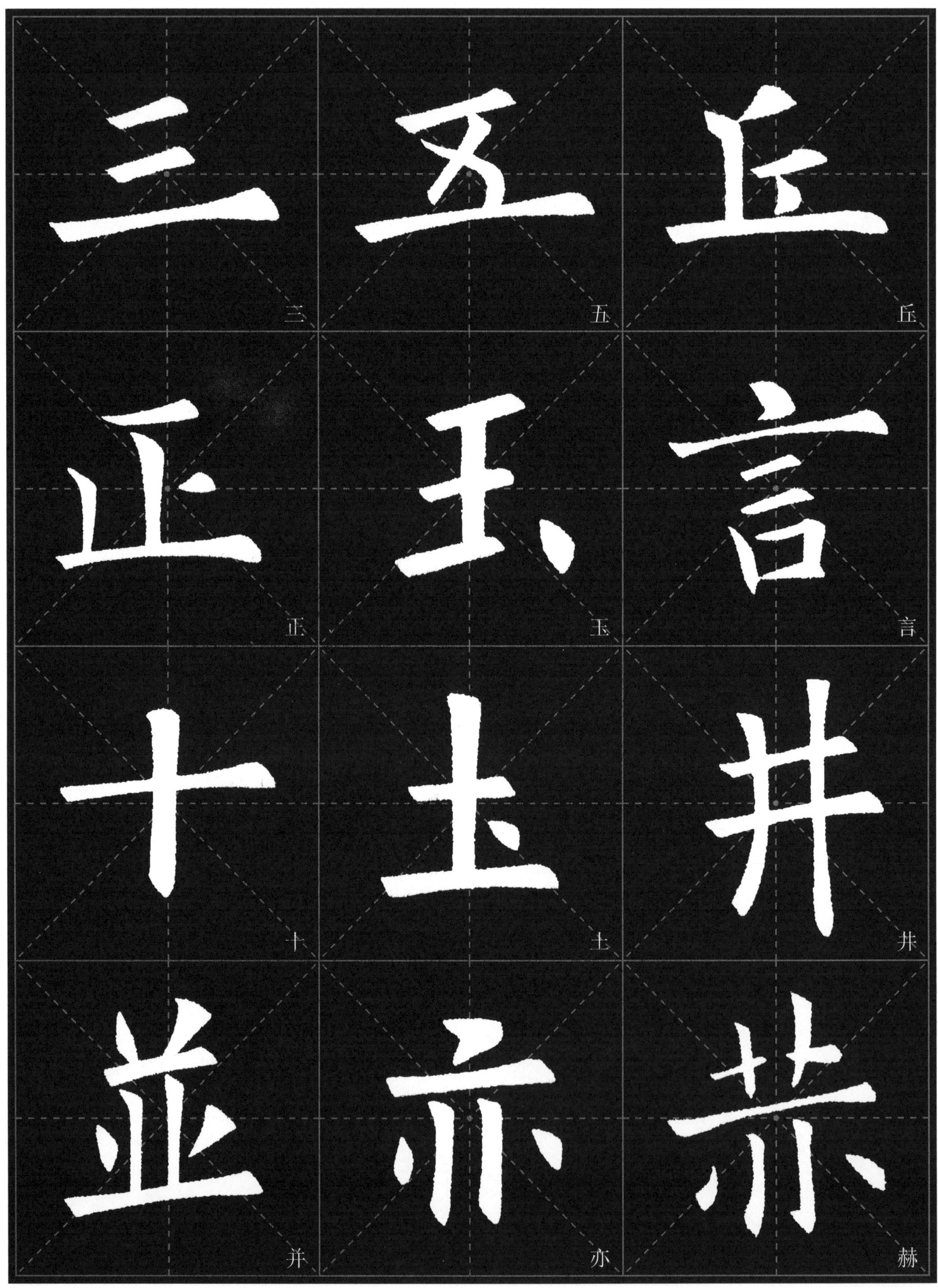

文
史
丕
未
永
本
户
步
东
在
右
有

基本笔画：折

而
分
尚
勿
南
已
九
也
克
光
尧
我

偏旁部首：亻

俯
仰
傲
往
徒
从
后
得
彼
德
循
微

偏旁部首：扌

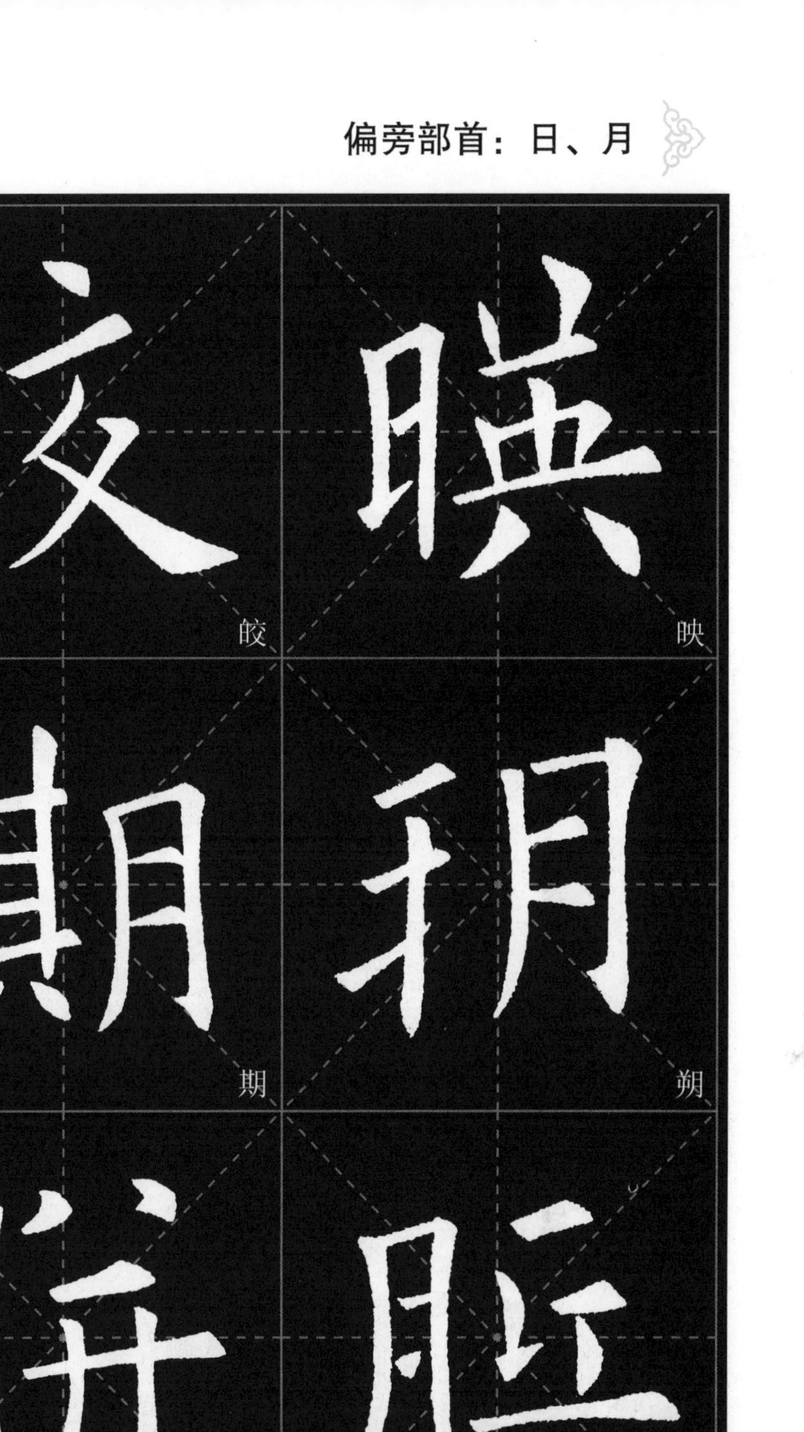
时
皎
映
明
期
朔
肌
胼
胝
腊
胜
腠

偏旁部首：氵

满
凄
淑
湛
润
涧
测
激
涤
潜
潺
洁

偏旁部首：忄、礻

相
杖
栋
极
榭
机
加
功
勤
敕
勃
动

偏旁部首：土、王

記
记
訓
训
詢
询
謂
谓
誠
诚
譯
译
謙
谦
謝
谢
謹
谨
針
针
銘
铭
錄
录

偏旁部首：纟、欠、攵

陽
阳
階
阶
降
降
隨
随
陰
阴
陳
陈
刑
刑
郡
郡
墜
坠
則
则
利
利
列
列

偏旁部首：斤、足、口

竦
竭
产
峥
嵘
崇
砌
砾
碧
形
雕
泥

偏旁部首：隹、殳、页、见

宇
安
宫
室
家
察
宝
案
宁
官
寔
实

偏旁部首：艹

華
华
蓱
蓱
黄
黄
暑
暑
景
景
是
是
曩
曩
冕
冕
昆
昆
書
书
皆
皆
昔
昔

偏旁部首：日、白、人、𡗗

忘
念
思
恩
愈
应
架
渠
乐
策
弃
导

偏旁部首：八、灬、皿、贝

偏旁部首：⻗、⺌、𤇾、𦥯

偏旁部首：广、疒、尸

遂
逯
远
运
遗
遐
道
游
迈
還
递
避

偏旁部首：廴、走、冂、门

间
阁
阙
开
闻
辟
风
凤
因
固
国
图

将
矩
耕
般
辟
弱
致
能
县
醴
卿
职

臭
炎
爰
寻
帝
美
圣
忧
丽
响
寿
壑

九成宮
泉銘
祕書監撿挍侍中鉅
鹿郡公臣魏徵奉
勑撰

維貞觀六年孟夏之
月皇帝避暑乎九
成之宮此則隨之仁
壽宮也冠山抗殿絕

《九成宫醴泉铭》节选

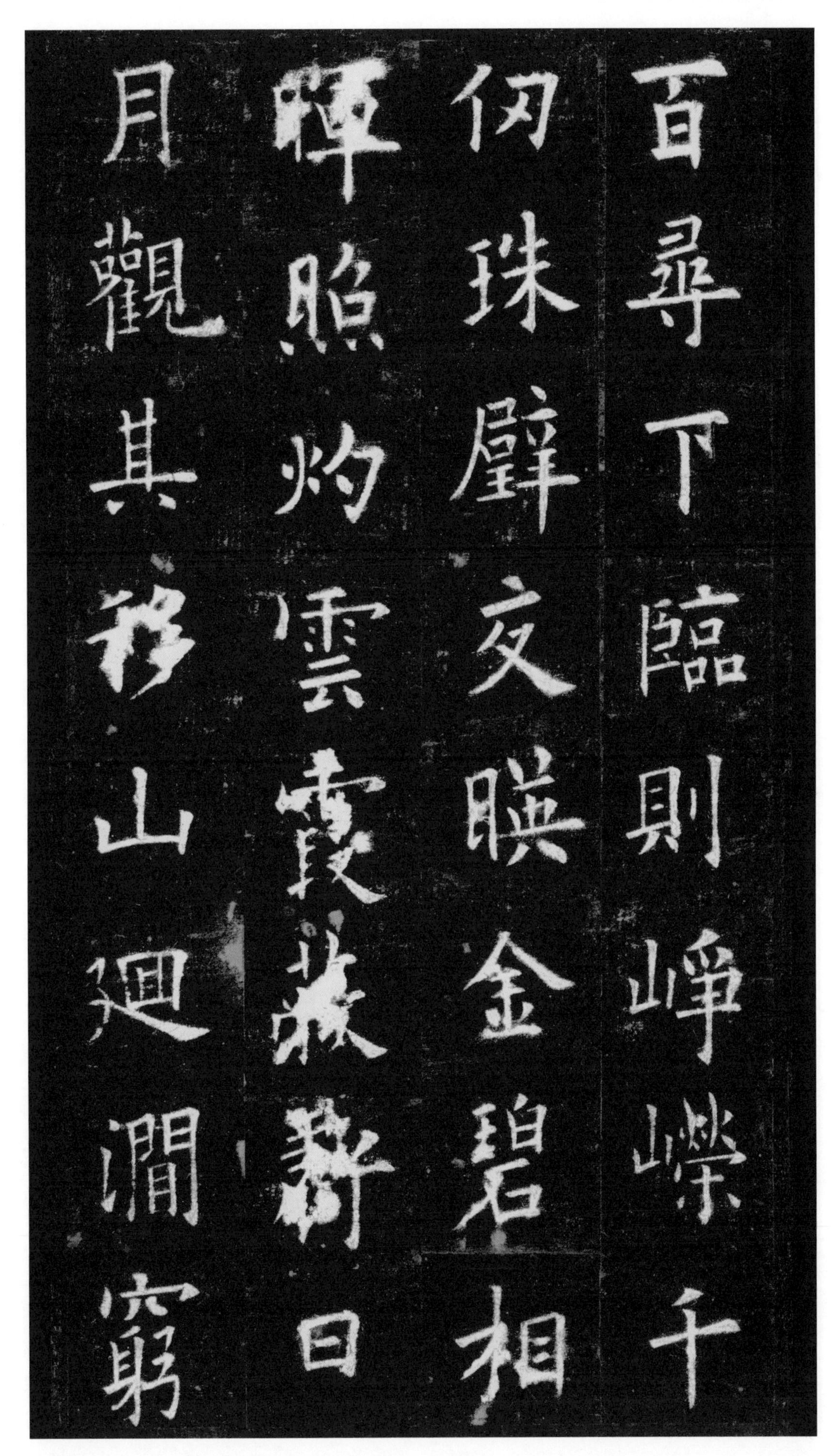
百尋下臨則崢嶸千
仞珠璧交暎金碧相
暉照灼雲霞蔽虧日
月觀其移山迴澗窮

泰極侈人從欲良
之深尤至於炎景流
金無鬱蒸之氣微風
徐動有淒清之涼信

有奖问卷

亲爱的读者，非常感谢您购买“墨点字帖”系列图书。为了提供更加优质的图书，我们希望更多地了解您的真实想法与书写水平，在此设计这份调查表，希望您能认真完成并连同您的作品一起回寄给我们。

前 100 名回复的读者，将有机会得到书法老师的点评，并在“墨点网站”上展示或获得温馨礼物一份。希望您能积极参与，早日练得一手好字！

1. 您会选择下列哪种类型的图书？（请排名）______

   A. 原碑帖　B. 书法教程　C. 书法鉴赏知识　D. 书法作品　E. 书法字典

2. 在选择传统书法时，您更倾向于哪种书体？请列举具体名称。

   ______

3. 您希望购买的图书中有哪些内容？（可多选）

   A. 技法讲解　B. 章法讲解　C. 作品展示　D. 创作常识　E. 诗词鉴赏　F. 其他

4. 您选择图书时，更注重哪些方面的内容？（可多选）

   A. 实用性　B. 欣赏性　C. 实用和欣赏相结合　D. 出版社或作者的知名度　E. 其他

5. 您喜欢下列哪种练习方式？（可多选）

   A. 书中带透明纸　B. 放大临习本　C. 填廓描红　D. 多种练习方式相结合　E. 其他

6. 您购买此书的原因有哪些？（可多选）

   A. 装帧设计好　B. 内容编写好　C. 选字漂亮　D. 印刷清晰　E. 价格适中　F. 其他

7. 您每年大概投入多少金额来购买书法类图书？每年大概会购买几本？

   ______

8. 请评价一下此书的优缺点：

   ______

姓名：　　**E-mail：**

性别：　　**电　话：**

年龄：　　**地　址：**

回执地址：武汉市洪山区雄楚大街 268 号省出版文化城 C 座 603 室
收 信 人：墨点字帖毛笔编辑室　　邮编：430070
天猫商城：http://whxxts.tmall.com

我的作品